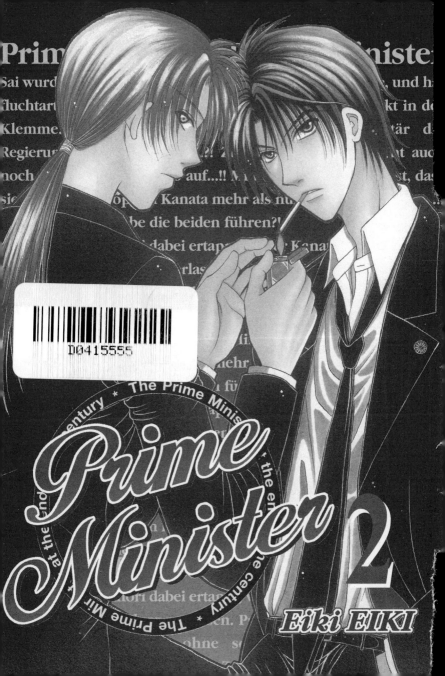

EIKI EIKI *presents*

INHALT

MINORI
...?

ICH...

WA...
WAS IST
LOS? HAST DU
EXTRA AUF MICH
GEWARTET...?

DA...
DANKE
...

ICH
HAB VON
SAIS VER-
SCHWINDEN
GEHÖRT
...

HM...

UND...?

KLIPP
UND
KLAR

ICH
HAB MICH
GESTERN
MIT SAI GE-
STRITTEN
(?)...

VIELLEICHT
IST ER DARUM
WEGGELAUFEN.

MACH DIR
DARÜBER
KEINE
GEDANKEN!

WILL-
KOMMEN
ZURÜCK
...

16

ER WILL IMMER...

WAS...?

ABER... HÄ?

... MIT DEM KOPF DURCH DIE WAND, UND WENN ETWAS NICHT SO LÄUFT WIE GEPLANT ...

DER HAUT STÄNDIG AB, GLAUB MIR.

... DREHT ER DURCH UND BENIMMT SICH WIE DER LETZTE IDIOT ...

BRUMMEL

OKA-ZAKI-SAN ...

ER FÜHRT SICH AUF WIE EIN GENERVTER MANGAKA VOR DEM ABGABE-TERMIN!

EIKI DREHT AUCH AB UND ZU DURCH.

NACH EINER WOCHE HAT ER SICH MEIST WIEDER BERUHIGT UND KOMMT ZURÜCK...

REUMÜTIG UND HEULEND.

KANN MAN WOHL SAGEN ...

DENKT AN SAIS HERAB LASSENDES VERHALTEN...

WIE DER LETZTE IDIOT ...?

ACH, WEGEN ALLEM MÖGLICHEN ...

HÄ?

ABER WIESO HABT IHR EUCH GE-STRIT-TEN?

... ZUM BEISPIEL, INDEM ER EINFACH ABHAUT.

DAS HAT ER IN DER VERGANGEN-HEIT SCHON HÄUFIGER GETAN.

ICH KANN IHM NICHT SAGEN, DASS ER DER GRUND WAR...

DANKE.

AH...

HM...

...

...

ICH LEG
MICH IN DIE
BADEWANNE!

GUTE
NACHT!

UH...

DAS ESSE ICH NICHT!!

DU WEISST, ICH MAG ES NICHT, WENN DAS EIGELB NOCH WEICH IST!

DU WOLLTEST KEIN FERTIG-GERICHT AUS DEM SUPERMARKT. ALSO HAB ICH DIR EIN PAAR EIER GEBRATEN!!

HÖR ENDLICH AUF, DICH STÄNDIG ZU BESCHWEREN!!

DU FRISST DICH BEI MIR DURCH UND HAST DEN NERV, FORDERUNGEN ZU STELLEN ...?!

21

ACT

8

SEIKIMATSU ★ PRIME MINISTER

PREMIER-
MINISTER
...?

SEIT DU
PREMIERMINISTER
GEWORDEN BIST,
HABE ICH MEHRFACH
VERSUCHT, DICH
WIEDER ZU
SEHEN...

... ABER
DEIN SEKRETÄR
HAT MIR JEDES
MAL EINEN KORB
GEGEBEN.

HERR-
JE!

...

ICH
SCHEINE
HIER NICHT
WILLKOMMEN
ZU SEIN.

DIESEN TEIL MEINER VERGANGENHEIT...

... HABE ICH AUS MEINER ERINNERUNG GESTRICHEN!!

WIESO...? ICH HABE NUR POSITIVE ERINNERUNGEN AN DIESE ZEIT.

ABER WIE DU MEINST. DANN LASSE ICH DICH ALLEIN.

ACH JA...!

FAST HÄTTE ICH'S VERGESSEN...

ICH DACHTE, DU WÄRST INZWISCHEN ERWACHSEN GEWORDEN UND WÜRDEST NICHT MEHR AUF SOLCHE TRICKS HEREINFALLEN...

HE... HERR PREMIER...

ABER ICH HABE DICH ÜBERSCHÄTZT...

KANATA...

ÄH... ENTSCHULDIGEN SIE...!

HI, HI....

SPECIAL GUEST: MIKIYO TSUDA, (KICHER)

WENN ES SO EINEN MANGA WIRKLICH GÄBE, MÜSSTE ICH IHN UNBEDINGT HABEN! (EIKO)

DANN ZEICHNE IHN DOCH GEFÄLLIGST SELBER!! (TSUDA)

DANKE, DASS DU IHN GEZEICHNET HAST. (EIKO HI, HI...

GYAAAH! WAS TUST DU DA, MINORI-CHAN?!

VERDAMMT...! FÜR SOLCHE SCHERZE HABE ICH IM MOMENT NICHTS ÜBRIG!

BUWÄH! BUWÄH!

DIESER MANGA IST UNGLAUBLICH, NICHT WAHR?!

ICH HAB IHN AUF EINEM MANGA-EVENT ENT-DECKT.

ER NANNTE SICH TSUDA-ZIRKEL.

Geheimbüro des Premierministers

ACHTUNG: DIESEN MANGA GIBT ES NICHT. ALSO FRAGT NICHT DANACH.

A-ACH SO...

MEIN SOHN KOMMT UNS MIT SEINER FAMILIE BESUCHEN. ER LEBT IM AUSLAND... DARUM HABE ICH MIR HEUTE UND MORGEN FREIGENOMMEN.

E-ETSUKO-SAN! GE... GEHEN SIE HEUTE AUS?!

SIE SIND SO SCHICK ANGEZOGEN!!

JA, GANZ RECHT.

MO...

MOMENT MAL! DAS HEISST...

...

DAS ESSEN STEHT IN DER KÜCHE. DU MUSST ES DIR IN DER MIKROWELLE AUFWÄRMEN.

... GANZ ALLEIN HIER?!

ICH BIN HEUTE NACHT MIT KANATA OKAZAKI...

UND WENN
...

... KANA-TA-SAN ETWAS PASSIERT ...

BEI DEM GEDANKEN KRIEGE ICH EINE GÄNSE-HAUT

...

2. DIE LIEBE EINER SCHWACHEN FRAU. (KICHER)

DAS KANN ICH NICHT...

DANN GEH DOCH ZURÜCK, WENN ES DIR KEINE RUHE LÄSST!

TSS ...

MIST!!

...

HM?!

PREMIER OKAZAKI!! DU BIST ...

MOMENT MAL! DIESEN GERUCH KENNE ICH DOCH...

UNVERSCHÄMTHEIT!

DIESES MILCHGESICHT IST BEREITS VATER?!

RYO-ICHI-SAN IST VERHEI-RATET?

PAH...! TYPISCH VATER! VOR JUNGEN MÄDCHEN SPIELT ER GERN DEN JUGENDLICHEN DRAUFGÄNGER.

JETZT, WO SIE SICH TRENNEN, IST ER BESONDERS GEFÄHRLICH.

MIT DEM IST NICHT ZU SPASSEN.

DU SOLLTEST DICH VOR IHM IN ACHT NEHMEN. ER IST EIN WOLF IM SCHAFS-PELZ!

HÄ ...?

AH, DER ANRUF VORHIN ...!!

ER KAM VÖLLIG AUFGE-LÖST NACH HAUSE!

MUTTER HAT IHM MIT SCHEIDUNG GEDROHT ...

HÄÄÄÄ ?!

?

ABER ICH BIN FROH, DASS ICH GEKOMMEN BIN. SAH AUS, ALS STECKTEST DU IN DER KLEMME!

UND MICH HABEN SIE UNTER DEM VORWAND, DASS ICH DICH BESCHÜTZEN MÜSSTE, AUS DEM HAUS GEJAGT.

KINDER HABEN'S ECHT NICHT LEICHT!

HÄ?

ÄH... STIMMT...

DAS TUT MIR LEID...

ふ～っ。

DU BIST DOCH RYO?!

WAS MACHST DU HIER, DU ROTZNASE...?

LANGE NICHT GESEHEN, KANATA.

DU TRINKST IMMER NOCH GERN!

OH MANN...!

UUUH...

MEIN SCHÄDEL...

ER WACHT AUF!!

HMPH...

... WAR ICH SO ANGEEKELT UND WÜTEND...

ABER ALS ER MICH VORHIN GEKÜSST HAT...

WAS HAT DAS ALLES ZU BE- DEUTEN?

MO... MOMENT MAL!!

?!

...

MINORI
...?

HERRJE!

WENN
ICH ES
NICHT MEHR
SCHLIMM FINDE,
DASS ER MICH
KÜSST, DANN
...

HILFE!

JETZT...

... BIN ICH SO
AUFGEREGT, DASS
ICH KEIN AUGE
ZUKRIEGE...

SPÄTER...

WÄHREND MINORI NAGASHIMA EINE SCHLAFLOSE NACHT VERBRACHTE ...

... PLAGTE SICH UNTER DEM TOKIOTER NACHTHIMMEL...

... UND EIN ANDERER MIT DEN LEIDEN EINES BABYSITTERS HERUM.

... EIN JUNGER MANN MIT DEM GEDANKEN AN SEINE SCHEIDUNG ...

MIT ANDEREN
WORTEN, DIES
IST EINE ART
SONDERKAPITEL.

★
ACT
10
SEIKIMATSU ★ PRIME MINISTER

MATSUMOTO!

ICH WILL IN DIE BADE-WANNE!

ÄH, SCHON GUT, DU HAST GEWONNEN!

...

HALT DIE KLAPPE!

SELBST-VERSTÄNDLICH LASSE ICH DIR WASSER EIN!!

ICH WASCHE JETZT AB!

VERDAMMT! DA HABE ICH MIR WAS AUF-GEBÜRDET!!

DAMEN-BESUCH KANN ICH SO NICHT EMPFANGEN ...

WENN DU UNBEDINGT BADEN WILLST, DANN LASS DIR GEFÄLLIGST SELBST WAS-SER EIN!

Antrag auf Scheidung
Datum des Antrags:

Familienname:
Verheiratet seit:

Name, Vorname des Ehemanns:
Geboren am:

む—————ッ

Ehefrau:
Juri
Makita (25),
Beruf: Inhaberin
einer Boutique

Ehemann:
Ryoichi
Makita (25),
Beruf: Polizist

Achtung: Die beiden
sind wirklich gleich alt!

AAAH...!

HMPF!

SPINNST DU?! DAS FORMULAR HABE ICH HEUTE EXTRA IM RATHAUS GEHOLT!

UND WENN SCHON!!

...

WIESO REGST DU DICH SO AUF?!

DU BIST BERUFLICH GENAUSO VIEL UNTERWEGS WIE ICH.

DAS WEISST DU GANZ GENAU! ICH...

ICH WEISS, DASS DU...

JA...? WAS ...?

WIESO WILLST DU DICH UNBEDINGT SCHEIDEN LASSEN?

ICH HAB DIR DOCH NICHTS GETAN!!

GLAUBE ICH...

90

DU BIST IN KANATA OKAZAKI VERLIEBT ...!!

UNSERE EHE DIENTE DIR DOCH NUR ALS TARNUNG !!

SPAR DIR DEINE ERKLÄRUNGEN! ICH WEISS ALLES!!

ÄH... MOMENT MAL...!

HALLO...?

HM...

TEIL 3:
23.00 UHR
BEI MATSU-
MOTO...

ICH
WUSSTE
ES. SIE
GEHT NICHT
RAN.

ALSO
DANN,
GUTE
NACHT.
♡

ABER NICHT
AUF SO EINE
DÄMLICHE
ART...

DAMIT IST
MEIN RUF
RUINIERT
...

NA JA, ES STIMMT
SCHON, WIR VERSTEHEN
UNS NICHT BESONDERS
GUT UND NACH JEDEM
STREIT ÜBERLEGE ICH,
OB ICH NICHT SCHLUSS
MACHEN SOLL...

VER-
DAMMT
NOCH
MAL!

AAAH,
HERR-
LICH,
SO EIN
BAD!
♡

ACH, WAS SOLL'S ...?!

DAS IST EIN KERL...

HÄ?! ABER ...

ICH WOLLTE SEHEN, WAS DU HIER TREIBST ...

RI... RIEKO?! WAS MACHS DU DENN HIER...?

DAMIT SIND WIR QUITT!!

WAS...?

DU HAST TATSÄCHLICH BESUCH VON EINER ANDEREN FRAU...

... UND SIE TRÄGT MEINEN PYJAMA!!

MN...

ER SIEHT RICHTIG SÜSS AUS, WENN ER SCHLÄFT...

WOW!

SELT-SAM...

UHM...

SMILE

...!!

ICH
HÄTTE NICHT
GEDACHT...

... DASS SICH DAS
EIGENE BEWUSSTSEIN
IN EINER EINZIGEN NACHT
SO VERÄNDERN KANN.

OKAY!
JETZT
IST SIE
GUT!!

108

NANU, EIN FRÜHSTÜCK IM TRAUTEN FAMILIENKREIS ?!

MINORI?

WIESO STRAHLT ER MICH SO AN ...?

MIR WIRD GANZ HEISS!

HM?

DU SIEHST BEZAUBERND AUS, MINORI-CHAN!

HABEN SIE SICH MIT IHRER FRAU WIEDER VERSÖHNT?

...

HI!

RYOICHI-SAN...!!

NA JA,
NACH ALLEM,
WAS GESTERN
GESCHEHEN
IST...

...

DAS
IST ES
NICHT
...

HÄ?

WIESO
WARST
DU SO
WÜTEND?

WAS IST
LOS?

ABER...
WENN KANATA
OKAZAKI MEINE
HAARE BERÜHRT
HÄTTE...

... WÄRE ICH
VERMUTLICH
VÖLLIG
AUS DER
FASSUNG
GERATEN.

KAMIJO...

ぱ

... WAR
GESTERN
BEI MIR.

!!

!!

...

DU
BIST ÜBER
DICH SELBST
HINAUSGEWACH-
SEN, INDEM
DU IHN NICHT
VERPRÜGELT
HAST.

DU HAST
DICH TAPFER
GESCHLAGEN,
KANATA.

WAS GIBT ES ...?

DAS ABSCHLUSS-ZEUGNIS DIESES SEKRETÄRS IST GERADE MIT DER POST GEKOMMEN ...

KAMIJO-SENSEI...!

MIR KAM DA EIN GEDANKE ...

WOZU BRAUCHEN SIE DAS ...?

DER JUNGE AUF DEM FOTO MACHT EINEN SCHULD-BEWUSSTEN EINDRUCK, SO ALS HÄTTE ER ETWAS AUSGE-FRESSEN.

VIELLEICHT HAT ER EIN DUNKLES GEHEIMNIS, DAS ER LIEBER VOR ALLEN VERBERGEN MÖCHTE..

NATÜRLICH!

KLIPP UND KLAR

AHA, VERSTEHE! HÖRT SICH AN, ALS WÄRST DU IN KANATA VERLIEBT!

FÜR MICH GIBT ES KEINEN ANDEREN MANN AUSSER IHM ...

WELCHER MANN LÄSST SICH FÜR EINEN ANDEREN DIE HAARE WACHSEN?!

WIDERLICH!!

!

TJA, KEINE AHNUNG, IN WELCHEM VERHÄLTNIS KANATA UND DU ZUEINANDER STEHT, ABER EINS IST SICHER...

DURCH DEIN VERHALTEN BRINGST DU DEN MANN, DER DIR ANGEBLICH SO VIEL BEDEUTET, IN TEUFELS KÜCHE!

SO, DEINE HAARE SIND GERETTET.

128

ALSO DANN!

ALSO BERUHIGE DICH UND DENK IN RUHE ÜBER ALLES NACH!

WER WEISS?! VIELLEICHT FEIERN WIR HEUTE ABEND EINE SUKIYAKI-ABSCHIEDSPARTY.

KANATA-SAN...

„WILLST DU NICHT"...

„... MIT MIR KOMMEN ...?"

...

WAS
FÜR EIN
SCHICKSAL-
HAFTER
TAG
...

GENAU...

... ALS
KANATA-
SAN MICH
AUFGE-
LESEN
HAT!

WIE DURCH
EIN WUNDER
HAT ER MICH
AUSGEWÄHLT
...

... MACHE ICH SO EINEN UNSINN ...?

SEIT JENEM TAG GEHÖRE ICH MIT HAUT UND HAAREN IHM!

MINO-CHAN!

MINO-CHAN!!

はっ

KANATA-SAN...

WA... WAS IST? HAST DU MICH GERUFEN?

NACH-DEM WIR GEMEINSAM SO WEIT GEKOMMEN SIND...

JA, EIN PAARMAL. WO BIST DU MIT DEINEN GEDANKEN?

ACH...
NIRGENDS
...

HE, HE!
SIEH MAL,
WAS ICH
HIER HAB!
♡

„DIE
AKTE
KANATA
OKAZAKI"
?!

TADAAA!
♡

岡崎彼方
ファイルブック

* DIE AKTE KANATA OKAZAKI.

ICH
HABE ALLES,
WAS BISHER
ÜBER IHN VER-
ÖFFENTLICHT
WURDE, AUSGE-
SCHNITTEN
UND IN DIESEM
BUCH GE-
SAMMELT.

HE, HE...
ICH BIN NICHT
EINFACH IRGEND-
EIN FAN VON
UNSEREM
PREMIER-
MINISTER.

WAS
IST DAS
DENN...?

ふん

ER HAT SICH
ALS KANDIDAT
AUFSTELLEN
LASSEN, WEIL
ES DER LETZTE
WILLE SEINES
VERSTORBENEN
GROSSVATERS
WAR...?

SUCH
DIR EIN
LEBEN...!

HM?

HÄÄÄ?
SAG BLOSS,
DAS WUSSTEST
DU NICHT,
MINO-CHAN
?!

岡崎彼方
ファイルブック

AH...

19XX
Residenz des
Premierministers

DIESES FOTO ...!!

DASS KANATA OKAZAKI DER ENKEL DES EHEMALIGEN MINISTERPRÄSIDENTEN HARUKA OKAZAKI IST, WEISS DOCH JEDES KIND.

DER PREMIER-MINISTER HAT SEINE ELTERN FRÜH VERLOREN UND WURDE VON SEINEM GROSS-VATER IN DER RESIDENZ DES PREMIERS AUF-GEZOGEN.

ICH BITTE DICH, MINO-CHAN, DU MUSST DEN PREMIERMINISTER GLÜCKLICH MACHEN...

...UND MICH ZUR HOCHZEIT EINLADEN!!

...

ABER SEIN GROSSVATERS MUSSTE WEGEN IRGENDEINER AFFÄRE ZURÜCKTRETEN UND IST KURZ DARAUF VERSTORBEN ...

DER MANN AUF DEM BILD WAR SEIN VER-STORBENER GROSS-VATER ...?

SEITDEM IST DER ÄRMSTE GANZ ALLEIN AUF DER WELT.

GANZ ALLEIN AUF DER WELT...

DARF ICH MIR DAS MAL AUSLEIHEN, HATSUMI-CHAN?

DAZU FÄLLT MIR AUF ANHIEB EINIGES EIN...

HÄ? NA JA ...

...

WARUM HAT ER SICH MIT ACHTZEHN VON DER FAMILIE KAMIJO GE- TRENNT...?

... KAM ER IN DIE OBHUT VON SEKRETÄR KAMIJO, DER SEIN VORMUND WURDE.

HM... NACH DEM TOD SEINES GROSS VATERS ...

ES GIBT VIELE DINGE IM LEBEN VON NJATA OKAZAKI, ÜBER DIE ICH NICHT DAS GERINGSTE WEISS...

MIT ACHTZEHN JAHREN VER- LIESS ER DIE FAMILIE UND GING INS AUSLAND ...

SAI...?

帰る。*

* ICH GEHE ZURÜCK.

ACH, WAS SOLL'S?!

JETZT KEHRT ENDLICH WIEDER RUHE EIN.

DIESER WIDER- LICHE, KLEINE SCHMA- ROTZER ...!

WAS...?

NICHT EIN WORT DES ABSCHIEDS NACH ALLEM, WAS ICH FÜR IHN GETAN HABE...?

...

UNGLAUBLICH ...

TSS...

...

BITTE ENTSCHULDIGEN SIE MICH JETZT, HERR PREMIERMINISTER!

WIR SEHEN UNS MORGEN FRÜH UM ACHT.

UND ICH TROTTEL HAB EXTRA FLEISCH FÜR SUKIYAKI GEKAUFT...

OKAY.

MINORI...?

...

PUUUH...

AH.

WILLKOMMEN ZURÜCK

WA... WAS HAST DU, MINORI ...?

ICH MÖCHTE DICH ETWAS FRAGEN ...

DU KOMMST SPÄT.

RYO-KUN SCHLÄFT SCHON.

HÄ?

HÄ?

HA... HALLO ...

EH...
ÄHEM
...

ALSO
DOCH
...!!

ICH WETTE,
RYOICHI HAT
GEREDET!!

... DIE NICHT
ALLEIN SEIN
KÖNNEN!!

ER
GEHÖRT
ZU DEN
MENSCHEN
...

WAH,
DER IST
GANZ
ROT!

SEIT ICH
HIER IN DER
RESIDENZ BIN,
KOMMEN ALL
DIE SCHÖNEN
ERINNERUNGEN
AN FRÜHER
ZURÜCK

JA, DU
HAST
RECHT.

UND DANN
FÜHLE ICH
MICH NOCH
EINSAMER
...!

MINORI
...!!

MEINE GÜTE...! WAS SOLL NUR AUS MIR WERDEN?

...

ICH BIN GESPANNT AUF MORGEN...

AAAH, HEUTE WAR EIN GUTER TAG!

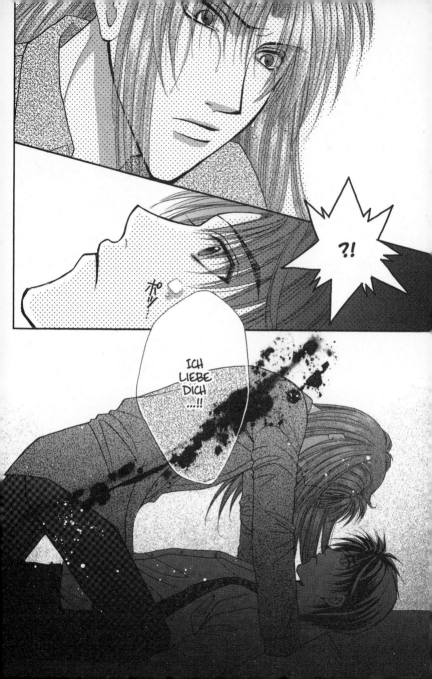

ACT
13
SEIKIMATSU ★ PRIME MINISTER

HALLO...!

♡

GUTEN ABEND ZUSAMMEN! KOMMT IHR GUT VORAN?

KODOMO KEIBITAI *

* KINDERSCHUTZTRUPPE.

ICH HAB NOCH EIN PAAR SACHEN FÜR RYO MITGEBRACHT.

BITTE!

ABER DA ICH ZU HAUSE GANZ ALLEIN BIN, HABE ICH BESCHLOSSEN, HEUTE HIER ZU ÜBERNACHTEN.

DA HAST DU RECHT...

NA, HÖR MAL! DU TUST GERADE SO, ALS WÄRST DU HIER ZU HAUSE...

MA... MAKITA-SAN!!

RYOICHI! WAS MACHST DU HIER? DU HAST DOCH HEUTE ABEND GAR KEINEN DIENST.

LA...
LASS
MICH IN
RUHE!

KANA-TA!!

はッ

RYOICHI...?!

HEY, HIER GE-BLIEBEN, SAI!!

HÄ...

KNÖPF DEIN HEMD ZU!!

WAS ZUM TEUFEL... GEHT HIER VOR?!

ÄH... HÖR ZU! DAS...

PRIME MINISTER – BAND 2 – ENDE

VIER MONATE ZU SPÄT!!

...

IN DER ROLLE DER EIA: EIN SCHWARZER HASE.

DIESER MANGA SOLLTE SCHON IM APRIL IN DIE LÄDEN KOMMEN, DOCH DANN WURDE ES AUGUST.

IST NEUERDINGS MEHR HELDIN ALS HELD: (+0) KANATA OKAZAKI.

DAS WAR EIN ANSPORN, DIESEN MANGA MÖGLICHST SCHNELL FERTIGZUSTELLEN...

NATÜRLICH BEKAM ICH JEDE MENGE ANFRAGEN UND BESORGTE BRIEFE...

JEDEN TAG GEHE ICH IN DEN LADEN, ABER...

ICH KANN BAND 2 NIRGENDS LEGEN!! BIN ICH BLÖD?

SCHADE, DASS SICH BAND 2 VERSPÄTET! DOCH ICH WARTE TROTZDEM. PASS GUT AUF DICH AUF!

MÜHE ALLEIN GENÜGT NICHT! →

DARUM MÖCHTE ICH MICH AN DIESER STELLE BEI ALLEN LESERN, BEI DER SHINSHOKAN, DER VERTRIEBSFIRMA UND ALLEN ANDEREN, DENEN ICH UNANNEHMLICHKEITEN BEREITET HABE, AUFS ZERKNIRSCHTESTE ENTSCHULDIGEN! ICH WERDE MIR MÜHE GEBEN, DASS SO ETWAS NIE WIEDER VORKOMMT.

... DASS DIESES BUCH ENDLICH ERSCHIENEN IST.

UND ICH BIN WIRKLICH ERLEICHTERT...

DER SCHWARZE HASE BENIMMT SICH IN LETZTER ZEIT ETWAS MERKWÜRDIG...

„PRIME MINISTER" UND DIE CD

UND JETZT ETWAS WERBUNG!!

ばーーっ!!

ビッ!!

„PRIME MINISTER" GIBT ES AUCH ALS DRAMA-CD!!

ALLE ANDEREN SOLLTEN SIE SICH SCHLEUNIGST KAUFEN!!

DIE STIMMEN VON KANATA UND DEN ANDEREN SIND EINFACH UMWERFEND!!

ALLEN, DIE SIE BEREITS GEHÖRT HABEN, EIN GROSSES DANKESCHÖN!!

WENN IHR DEN GELESEN HABT, WERDET IHR EUCH DIE CD GARANTIERT KAUFEN!!

GO!!

AUF DEN FOLGENDEN SEITEN FINDET IHR DEN AFTER-RECORD-REPORT!!

LASST UNS MAL WIEDER YAKINIKU ESSEN GEHEN, MIKI-SAN UND NAGASAWA-SAN!

„PRIME MINISTER" UND MINORI-CHAN

WAS?

DIE KANJI SIND DIE DES VORNAMENS MEINER REDAKTEURIN.

DEN NAMEN „MINORI-CHAN" HABE ICH VON DER NICHTE MEINER ZUSTÄNDIGEN REDAKTEURIN ISHIKAWA-SAN.

SIE WIRD BALD ZWEI.

... UND IMMER BESTER LAUNE, WENN SIE VON IHR ERZÄHLT.

SIE IST SO SÜSS, ICH KÖNNTE IHR STUNDENLANG ZUSEHEN!

ISHIKAWA-SAN IST VÖLLIG VERNARRT IN IHRE KLEINE NICHTE...

FOTOALBUM VON MINO-CHAN

DER ABGABETERMIN RÜCKT NÄHER. WIE WEIT SIND SIE?

DAS MUSS ICH AUSNUTZEN...

WEISSES BLATT

WEISSES BLATT

SO ZIEHE ICH MICH AUS DER AFFÄRE!!

PRÄCHTIG! HEUTE FRÜH HAT SIE UNS MIT IHREM LACHEN GEWECKT!

DA FÄLLT MIR EIN... WIE GEHT ES MINO-CHAN?

OKAY!! ES HAT GEKLAPPT!

ABER AUFGESCHOBEN IST NICHT AUFGEHOBEN.

AFTER-RECORD-REPORT

EINES SCHÖNEN TAGES IM APRIL FAND IRGENDWO MITTEN IN TOKIO DIE „PRIME-MINISTER"-AFTER-RECORD-PARTY STATT.

AUSSERDEM: KOJI NAKATA-SAN ALS KAMIJO, EMI MINAMI-SAN ALS RIO U. V. A.!!

ICH HATTE DAS GROSSE GLÜCK, AUCH DABEI GEWESEN ZU SEIN!!

IM FOLGENDEN ERZÄHLE ICH EUCH, WAS ICH ALLES ERLEBT HABE.

ALS MATSUMOTO: YASUNORI MATSUMOTO-SAN

ALS SAI: SOICHIRO HOSHI-SAN

ALS MINORI NAGASHIMA: MIKI NAGASAWA-SAN

ALS KANATA OKAZAKI: SHINI-CHIRO MIKI-SAN

ALS RYOICHI MAKITA: KATSUHIRA YAMAGUCHI-SAN

UND ...

AH! MIST!!

NEIN! ES HEISST „MINORI"!

DASS DIE NAMEN DER CHARAS UND IHRER SPRECHER PARALLELEN AUFWEISEN, IST REINER ZUFALL...

MACH SCHON, MATSUMOTO, MEIN KNECHT!!

DA WÄREN ZUNÄCHST DIE ZEICHEN DES NAMENS „MINORI", DIE MAN AUCH „MIKI" LESEN KANN, UND DER KOMISCHE ZUFALL, DASS NAGASAWA-SAN MIT VORNAMEN MIKI HEISST.

... HAT ABER ANFANGS FÜR REICHLICH VERWIRRUNG GESORGT.

AUFNAHME-LEITER

DENN ALS HOSHI-SAN MATSUMOTO-SAN „IDIOT" NANNTE, SCHIEN ER ETWAS PIKIERT ZU SEIN...

ICH KÖNNTE MIR VORSTELLEN, DASS MATSUMOTO-SAN DIESEN MANGA HASST!

... MIKI-SAN, DER MATSUMOTO „SEINEN KNECHT" NENNT.

MATSU-MOTO, MATSU-MOTO!

MIKI!!

GETRETEN UND GESCHLAGEN

TUT MIR LEID, DASS SIE SO EINE BLÖDE ROLLE SPRECHEN MUSSTEN

HACH ...

PFF ...

DIE SPRECHER WERDEN VON DEN JEWEILIGEN CHARAS DARGESTELLT.

DIES WAR KEINE LEICHTE ROLLE UND MEINE BEFÜRCHTUNGEN BEWAHRHEITETEN SICH.

GANZ ZU SCHWEIGEN VON HOSHI-SAN ALS SAI...

SIE MUSSTE STÄNDIG SCHREIEN!

HEEEY! WAS SOLL DAS?! LASS MICH LOOOS!

NAGASAWA-SAN HATTE ES DOCH AUCH NICHT LEICHT.

U-UWAH!

RÄUSPER

MIKI-CHAN... MEINST DU, DEINE STIMME HÄLT DAS AUS...?

AUFNAHMELEITER

STÄNDIG MUSS ICH HEULEN, LACHEN, WÜTEND WERDEN...

あ～たたたた

EIN SICHERHEITSBEAMTER, DER DEN MINISTERPRÄSIDENTEN MIT CHINESISCHER KAMPFKUNST AUFS KREUZ LEGT? WO GIB'S DENN SO WAS?!

DER IDIOT IST DERJENIGE, DER ZU ANDEREN "IDIOT" SAGT, IDIOOOT!

ABER DAS BESTE WAREN DIE IMPROVISATIONEN BEIM MIKROTEST.

... DROHTEN IHM KANATA UND RYOICHI MIT CHINESISCHER KAMPFKUNST.

WIRKLICH SCHADE, DASS IHR DAS NICHT HÖREN KONNTET!

NACH MATSUMOTO-SANS SCHLAGFERTIGER BEMERKUNG ...

IDIOOOT!!

MU... MUSSTEST DU DAS JETZT SAGEN?!

SAG MAL, WIESO IST DIE CD VOR BAND 2 ERSCHIENEN?

ALSO, AUF IN DIE LÄDEN UND KAUFEN!!

IM PLATTENLADEN WARTET EIN WARMER HÄNDEDRUCK VON MIR AUF EUCH! → WAR NUR SPASS!

FALLS IHR DIE CD IM LADEN NICHT FINDET, KÖNNT IHR SIE AUCH DIREKT BEI "WINGS" BESTELLEN!!

AUF IHR FINDET IHR DIE HÖRSPIELVERSION DER EREIGNISSE BIS MITTE DES ZWEITEN BANDES, DEN BONUSTRACK "GEHEIMBÜRO DES PREMIERMINISTERS" SOWIE DEN SONG "ALL OR ONLY", GESUNGEN VON KANATA!!

LANGE REDE, KURZER SINN: DIE CD IST EINFACH UMWERFEND!!

UND AUF DEM COVER EIN FRISCH GEZEICHNETES "PRIME MINISTER MANGASTRIPTHEATER" VON MIR!

GUTEN TAG ALLERSEITS!! ICH BIN EIKI EIKI UND PRÄSENTIERE EUCH BAND 2 VON „PRIME MINISTER", WELCHER ZUGLEICH MEIN SECHSTES TASCHENBUCH IST. DANKE, DASS IHR SO GEDULDIG DARAUF GEWARTET HABT.

ICH BIN ÜBERGLÜCKLICH, DASS DER BAND ENDLICH IN DEN REGALEN LIEGT! BANZAI!! (FREUDENSCHLUCHZ) TUT MIR WIRKLICH LEID, DASS ER SICH SO VERSPÄTET HAT. UM GANZE VIER MONATE... (ZUSAMMENBRECH) ICH SELBST HATTE WÄHREND DER ARBEIT EINIGE PHASEN, WO ICH DACHTE, BAND 2 WÜRDE NIEMALS ERSCHEINEN. DANN IST MIR AUCH NOCH „WORLD'S END" DAZWISCHENGEKOMMEN, DAS UNERWARTET VORGEZOGEN WURDE. ALSO ENTSCHULDIGT BITTE, DASS ICH EUCH SO AUF DIE FOLTER GESPANNT HABE! UND DANKE FÜR EURE BESORGTEN BRIEFE. JETZT IST DAS BUCH ENDLICH RAUS UND ICH BIN WIRKLICH ERLEICHTERT...!! (FREUDENSCHREI) FÜR DIE VERSPÄTUNG GAB ES MEHRERE GRÜNDE. DER ENTSCHEIDENDSTE WAR, DASS ICH DAS KAPITEL ÜBER RYOICH UND SEINE FRAU, DAS NICHT IM MAGAZIN VERÖFFENTLICHT WORDEN WAR, EINFACH NICHT ZU PAPIER GEBRACHT HABE. ICH HABE EWIGKEITEN ÜBER DEM ROHENTWURF GEBRÜTET, OHNE IRGENDETWAS ZUSTANDE ZU BRINGEN. DARUM BESCHLOSSEN WIR IRGENDWANN, DIESEN PLAN AUFZUGEBEN UND IN BAND 2 MEHR KAPITEL DER HAUPTSTORY ZU BRINGEN. SORRY AN ALLE, DIE KANATA UND DIE ANDEREN IM MAGAZIN IN OBERSCHULUNIFORM GESEHEN UND SICH AUF EINE FORTSETZUNG DIESER EREIGNISSE GEFREUT HABEN. GEDULDET EUCH NOCH EIN WENIG! ICH WERDE DIESEN RÜCKBLICK AUF JEDEN FALL IRGENDWANN ZEICHNEN. UND DANN WIRD SICH DIE GESCHICHTE WAHRSCHEINLICH HAUPTSÄCHLICH UM KANATA UND RYOICH DREHEN UND NICHT IN „WINGS", SONDERN IN „DEAR" ERSCHEINEN, SCHÄTZE ICH. (← HÄ?) AUSSERDEM HABE ICH MIT KAPITEL 10 WENIGSTENS ETWAS NEUES GEZEICHNET. DAS IST VIELLEICHT KEIN ANGEMESSENER ERSATZ, ABER ICH HOFFE TROTZDEM, DASS ES EUCH WENIGSTENS EIN BISSCHEN ENTSCHÄDIGT. (HERZKLOPF) SO, UND JETZT ZU EINEM ANDEREN THEMA: VIELEN DANK FÜR DIE VIELEN FANBRIEFE, DIE IHR MIR NACH BAND 1 GESCHICKT HABT!! ICH LIEBE EUCH!! DIESEN BRIEFEN NACH ZU URTEILEN IST KANATA DER BELIEBTESTE CHARA. DOCH DA RYOICH, MATSUMOTO UND SAI AUCH ZIEMLICH POPULÄR SIND, STICHT KEINER BESONDERS HERAUS. UND MINORI-CHAN SCHEINT EBENFALLS ZIEMLICH GUT ANZUKOMMEN. DA ICH ZUM ERSTEN MAL EINE WEIBLICHE HELDIN PRÄSENTIERT HABE, BIN ICH SEHR ERLEICHTERT. DANKE! DER HÄUFIGSTE KOMMENTAR, DEN ICH GELESEN HABE, LAUTETE: „ICH BIN ERSTAUNT, WIE NORMAL DIESER MANGA IST." (LANGSAM FRAGE ICH MICH, WAS ICH FÜR EINEN RUF GENIESSE. AUSSERDEM FINDE ICH, DASS ER IN GEWISSER HINSICHT ÜBERHAUPT NICHT NORMAL IST.) EIN WEITERER SEHR HÄUFIGER KOMMENTAR WAR: „WENN WIR DOCH AUCH SO EINEN MINISTER-PRÄSIDENTEN WIE KANATA HÄTTEN, DAS WÄRE SCHÖN." SEID IHR EUCH DA SICHER? ICH FÜRCHTE, DAS WÜRDE EIN ZIEMLICHES CHAOS GEBEN, MEINT IHR NICHT? (KICHER) DES WEITEREN KAMEN WÜNSCHE WIE: „BITTE LASS ES ZWISCHEN MINORI UND KANATA ZUM HAPPY END KOMMEN" UND „BITTE LASS ES ZWISCHEN SAI UND KANATA ZU EINEM HAPPY END KOMMEN" (KICHER)

WEITER GEHT'S AUF DER NÄCHSTEN SEITE! →

ODER: »RYOICHI UND KANATA HABEN DOCH
IRGENDWAS MITEINANDER?!« (RIESENGELÄCHTER),
ODER »SAI UND MATSUMOTO PASSEN GUT
ZUSAMMEN.« (GEIERATTACKE)
ALSO, WIE FANDET IHR BAND 2?
DIE STORY ENTWICKELT SICH ERNSTER ALS
GEDACHT, NICHT WAHR? GRINS! UND WENN
ALLES NACH PLAN LÄUFT, WIRD SIE MIT BAND 3
ABGESCHLOSSEN. ZWISCHEN DEN BÄNDEN 1 UND 2
LAG EINE ZIEMLICH LANGE ZEIT. DARUM
VERSPRECHE ICH EUCH AN DIESER STELLE HOCH
UND HEILIG, DASS DER ABSTAND ZU BAND 3
NICHT SO GROSS AUSFALLEN WIRD. DENN ICH
WERDE IHN MIR GLEICH ALS NÄCHSTES
VORNEHMEN. ALSO BLEIBT MIR BIS BAND 3
TREU! PASST AUF EUCH AUF!!

AUGUST 1999, EIKI EIKI   LOVEXXX

SPECIAL THANKS (IN ALLER KÜRZE)...

AN MEINE ASSISTENTEN:
JUN UZUKI UND MIYO FUJISAKI UND SAKI IORI UND
OMI ONISHI UND TOMOE ASAHINA UND RIE MINAMI.

AN MEINEN SPECIAL GUEST:
MIKIYO TSUDA.

AN MEINE REDAKTION:
MIKI ISHIKAWA (MEINE ZUSTÄNDIGE REDAKTEURIN)
UND IKUKO AWANO UND FUMIAKI KUMAGAYA UND
DIE WINGS-REDAKTION UND ALLE MITARBEITER
DES SHINSHOKAN-VERLAGS.

AN ALLE, DIE MICH ZU DEN PERSONENNAMEN
INSPIRIERT HABEN: MINORI ISHIKAWA, MIKI
ISHIKAWA, SAIKO MATSUMOTO, AKANE ISHII,
MASAHIRA KAMIJO, HATSUMI ETO, JURI HAMADA,
MIYO FUJISAKI, CHIZUKO OOTA UND AN MEINE
FAMILIE UND MEINE FREUNDE, DIE MICH IMMER
UNTERSTÜTZT HABEN, UND AN EUCH!!

♡

DAS NÄCHSTE
TASCHENBUCH, DAS
ERSCHEINT, WIRD
»PRIME MINISTER 3«
SEIN!! WIR SEHEN
UNS 2000
WIEDER!!

LEST
AUCH DAS
MAGAZIN,
OKAY?!

UND DIE
SONDER-
AUSGABEN
!!

WELCHE
FARBE HAT
DAS COVER
VON BAND 3
UND WELCHE
CHARAS SIND
DARAUF?! IHR
DÜRFT GE-
SPANNT SEIN!!

UND
HOLT
EUCH DIE
CD!

„Prime Minister" von Eiki EIKI
Aus dem Japanischen von Claudia Peter
Originaltitel: „Seikimatsu Prime Minister" Vol. 2

Originalausgabe:
© 1998 Eiki EIKI. All rights reserved.
First published in Japan in 1998 by SHINSHOKAN CO., Ltd. Tokyo
German version published by Egmont Verlagsgesellschaften mbH
under license from SHINSHOKAN CO., Ltd.

Deutschsprachige Ausgabe:
© 2007 Egmont Manga & Anime
verlegt durch EGMONT Verlagsgesellschaften mbH,
Gertrudenstraße 30-36, 50667 Köln

1. Auflage
Verantwortlicher Redakteur: Wolf Stegmaier
Redaktion: Frank Neubauer und Etsche Hoffmann-Mahler
Lettering: Funky Kraut Productions
Gestaltung: Claudia V. Villhauer
Koordination: Nadin Kreisel
Buchherstellung: Sandra Pennewitz
Druck und Verarbeitung: Clausen & Bosse, Leck
ISBN 978-3-7704-6675-7

www.manganet.de

SUTOPPU!

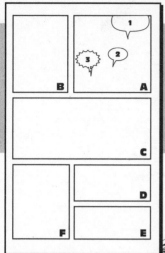

Koko wa kono manga no owari dayo. Hantaigawa kara yomihajimete ne! Dewa omatase shimashita! „Prime Minister" no hajimari!

Manga Chiimu

STOPP!

Das ist der Schluss des Mangas. Fangt bitte am anderen Ende an! Doch nun genug der Vorrede, jetzt geht's los mit Prime Minister!

Euer Manga Team